KB096647

갑상선암은 암도 아니라면서요

갑상선암은 암도 아니라면서요

발 행 | 2024년 1월 26일
저 자 | 송월화
펴낸이 | 한건희
펴낸곳 | 주식회사 부크크
출판사등록 | 2014.07.15.(제2014-16호)
주 소 | 서울특별시 금천구 가산디지털1로 119 SK트윈타워 A동 305호
전 화 | 1670-8316
이메일 | info@bookk.co.kr

ISBN | 979-11-410-6900-1

www.bookk.co.kr

갑상선암은 암도 아니라면서요

송월화

BOOKK

내 삶의 이유, 송연 송경에게

차례

프롤로그

저는 요상한 의협심이 있습니다. 갑상선[1]암에 걸리고 환자의 입장이 되어서 갑상선암에 대해 검색을 많이 하게 되었습니다. 도움이 되는 글들도 많았지만, 종종 '뭐야, 개소리를 진짜처럼 써놨잖아?' 하는 생각이 들게 하는 글들도 있었습니다. '내가 환자와 의사를 모두 대변해서 공감 가면서도 정확한 글을 쓰겠다'는 마음이 이 책의 시작이었습니다.

---

1) 갑상샘이라고도 불립니다만, 이 책에서는 환자분들께 더 친근한 갑상선이라는 용어로 통일하여 사용였습니다.

2022년도 3월부터 6월까지 브런치에 한주에 한편씩 총 스무 편의 글을 연재했는데, 생각보다 반응이 좋았습니다. 브런치 메인에 걸리기도 하고, 누적 조회수 2만 5천이 넘었습니다. 갑상선암 환우 카페에서 서로 글을 추천하기도 하고, 지금도 매일 꾸준히 읽히고 있습니다. 생각보다 수요가 높아 출판사에 출간 문의를 해보니 돌아오는 답변들은 '독자층이 매우 제한적이어서 출간이 어렵다'였습니다. 아니 분명 진단받을 때는 갑상선암은 발에 치여서 보험금도 코딱지만큼만 줄 것이고 암도 아니니 유난 떨지 말고 수술 다음 주에 출근하라 했는데(기억 왜곡으로 인한 과장이 있을 수 있습니다.) 막상 뭐 좀 해보려 하면 희귀질환자 취급을 받습니다.

네, 이 책은 이렇게 암도 아니랬으면서 막상 살아가려니 녹록지 않은 갑상선암 환자를 위한 책입니다. 피검사할 때마다 갑상선 기능이 나쁘다고 들은 분도, 초음파 받을 때마다 갑상선 모양이 안 좋다고 들은 분도 환영합니다. 암환자도 이렇게 유쾌하게 사는데 나라고 못 살지

냐 하고 생각하고픈 건강인도 어서오세요.

제가 두 아이의 엄마가 되어보니, 제가 갑상선암 진단을 받고 제일 놀랐을 사람은 저희 어머니일 것 같습니다. 이 책을 가장 먼저, 사랑하는 어머니께 드리고 싶습니다. 남편은 그래도 남편이니까 두 번째로 드릴게요. 송연, 송경은 아직 한글을 못 읽으니 세 번째 책은 저의 분신인 친언니 송미라 변호사께 드립니다. 그다음 책은 제 책을 기다린 독자분이 계신다면, 사랑과 건강을 듬뿍 담아 드립니다. 감사합니다.

2024년 봄을 기다리며

송월화

Ⅰ. 갑상선암의 진단

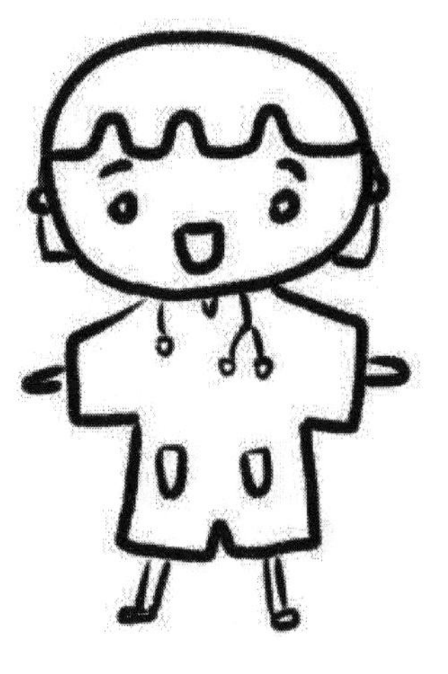

01. 나는 암은 아니지

나는 갑상선 고치는 의사잖아

나는 내분비내과 의사다. 내분비내과는 호르몬을 분비하는 여러 기관에 생기는 병에 대해서 진단하고 치료하는 과이다. 이러한 기관에는 뇌하수체, 시상하부, 갑상선, 부갑상선, 부신, 췌장 등이 있다. 보통 이런 기관 중에 한두 가지를 세부 전공으로 선택하는데, 나는 갑상선을 세부 전공으로 선택했다. 그런데 내가 갑상선 암에 걸렸다.

갑상선(甲狀腺)은 단어 그대로 갑옷 모양 내분비선이라는 뜻인데, 19세기까지는 그 기능을 잘 몰랐다. 19세기 초에 실험적 갑상선 제거술이 시행되면서 갑상선이 없는 환자에게 부종이 나타나는 현상을 토대로 많은 대사적 기능이 알려지게 되었다. 제거한 갑상선을 성분 분석하는 과정에서 요오드 함량이 높으며, 갑상선 호르몬을 저장하고 있다는 사실이 밝혀지게 되었다.

갑상선 암의 국내 발병률은 OECD 평균 10만 명당 68.8명으로 0.0688%이고[2], 국제 발병률은 이보다 현저히 낮다. 국내 발병률이 높은 이유는 저렴한 초음파수가로 인해 검사 빈도가 높기 때문으로 추정된다. 남녀 성비는 0.3 : 1 정도로 여성이 훨씬 많다. 40대, 50대 환자가가 50.2%로 다수를 차지한다.

아니, 경쟁률 100대 1이다 200대 1이다 하던 주택청약은 죽어라 안되더니, 1453대 1인 갑상선암에 걸리다니. 복권이라도 사야하나. 한동안 머리가 멍해졌다.

---

2) 2023년에 발표된 중앙암등록본부의 2021년 암관련 통계에 의거 수정하였습니다.

나는 강남세브란스 내분비내과 임상강사 시절 세션[3]당 적게는 30명에서 많게는 80명의 환자를 보았다. 역대 강사 중에 가장 많은 환자를 보았다고 들었다. 내가 진료를 잘해서는 아니고, 마침 환자 수 대비 진료의가 부족한 상황이었다. 드라마 '슬기로운 의사생활'에서 외과의 유일한 레지던트인 장겨울 선생만큼 일을 많이 한다는 의미로 외래 직원들이 '내분비내과 장겨울'이라는 별명을 붙여주었다.

내가 하루 중 가장 많이 한 말은,

"양성입니다."

일 것이다.
많게는 하루에 다섯 번 적어도 하루에 한 번은 이 이야기를 했다. 나는 이 말을 하는 것이 참 좋았다. 이 말 뒤에 하게 되는 말은

"당장 수술은 필요 없고 1년 뒤 초음파를 추적해 봅시다."

---

3) 쉬는 시간 없이 진행되는 한 타임의 외래 진료. 보통 3~4시간이다.

이기 때문이다.

이 말을 하게 되면 딱히 치료를 해 드린 것도 없는데 환자들이 참 고마워했다. 악성 소식을 전하게 되는 빈도는 이것보다 현저히 적었는데, 적게는 몇 주에 한 번, 많아도 하루에 한두 번 정도였다.

내 조직검사 결과가 악성이라는 것을 알게 되었을 때, 나는 억울했다. 왜 나는 그토록 많이 전했던 양성이라는 소식을 스스로에게 전하지 못할까? 초음파 모양이 나쁜 편이기는 했지만, 그럼에도 불구하고 양성 판정을 받은 수많은 환자가 있었는데. 나는 술, 담배도 하지 않고 가족력도 없는데. 갑상선 내분비내과 의사 중에 갑상선 암 걸린 적 있는 사람은 못 본 것 같은데.

친언니에게 말했더니,

"너는 도대체 얼마나 좋은 의사가 되려고 그러니."

라고 한다.

그래, 내가 걸려보니까 확실히 이전과 다르게 이해가 되는 부분들이 많이 있다.

사람마다 글을 쓰는 이유가 다르겠지만, 나는 기억을 잊지 않기 위해 글을 쓴다. 전작인 '오늘도 아픈 그대에게'는 수련 시절 만난 환자들에 대한 기억을 잊지 않게 쓰게 되었다. 사실 쓰는 도중에는 이래저래 자신이 없었지만, 쓰고 나니 정말 책에 기록된 일화 말고는 거의 기억이 나지 않게 되어서, 쓰길 잘했다는 생각이 든다. 내가 다시 글을 쓰기로 결심한 이유는, 내가 암을 진단받고 치료받을 때 느꼈던 기분, 감정, 생각, 상황들을 평생 잊지 않고 환자를 대하고 싶기 때문이다.

갑상선 암은 비교적 예후가 좋은 암이기 때문에, 나는 다시 건강해질 것이고, 아팠던 기억을 잊게 될 것이다. 하지만 그래도 이 글은 남아서, 읽는 이들을 위로하고 스스로를 격려해주었으면 한다.

02. 만약에 천사가 있다면

갑상선암의 증상

나는 어린아이가 순수하다던가 예지력이 있다던가 하는 등의 말을 믿지 않는 사람이다. 그 이유는 순수하지 않았던 나의 어린 시절을 기억하고 있기 때문이다. 초등학교 1학년 무렵 학교에서 114번으로 전화를 걸면 전화번호를 안내해준다는 사실을 배웠다. 그다음 주쯤인가 명절에 온 가족이 모인 자리에서 나는 수화기를 들어 114번을 눌렀다. 나는 돌아가신 지 얼마 안 된 할아버지의 하늘나라 전화번호를 알려달라고 했다.

(이 자리를 빌려 안내원분께 죄송합니다...) 듣고 있던 가족들은 모두 놀라 눈물을 흘렸다. 그런데 사실 어렴풋한 기억에 의하면, 내심 그렇게 하면 가족들이 감동하리라는 것을 알았던 것 같다. 참 영민한 어린이였던 것이다.

뭐 눈엔 뭐만 보인다고 이러한 이유로 아이가 순수하다던가 아이가 하는 행동은 남다르다든가 하는 말들을 믿지 않았는데, 사실 내가 갑상선암을 조기 진단받게 된 데에는 딸아이의 역할이 컸다. 딸아이는 다른 사람에게는 그렇지 않았는데, 유독 나의 목은 꼭 껴안는 습관이 있었다. 그런데 어느 날부터인가 아이가 내 목을 끌어안고 나면 한동안 목이 불편했다. 계속해서 무언가가 누르는 느낌이 나기도 하고, 기침이 연속해서 나오기도 했다.

내가 남편에게

"그런데, 아기가 목을 끌어안고 나면 한동안 목이 너무 아프지 않아?"

하고 물으니 본인은 전혀 그런 증상이 없다며 얼른 미루던 조직검사를 받아보라고 한다. 그날 나는 조직검사를 받았고, 암 진단을 받았다.

갑상선암은 증상이 없는 경우가 가장 많다. 이 말은 거꾸로 하면 건강한 상태에서 꾸준히 검진을 받아야 조기 발견할 확률이 높다는 의미이다. 일부 환자에서 통증을 느끼거나, 목소리가 변할 수 있다. 드물지만 호흡곤란이나 객혈 등의 증상이 나타날 수 있다. 물론 이것도 암세포의 종류의 따라 발생 빈도가 다양하며, 예후가 나쁜 종류일수록 증상이 급격하고 심하게 나타나는 경향이 있다.

이 외에도 아이가 내 미래를 인도한(?) 몇 가지 경험이 있다. 나는 전공의 때 출산을 하고 조리원에서 내과학 교과서를 읽었는데, 그때 내분비내과가 가장 재밌다는 생각이 들어서 지금의 전공을 선택하게 되었다. 사실 내분비내과는 내과 중에서도 소수의 사람이 세부 전공으로 선택하게 되어서 약간 망설였다. 하지만 일에 쩔어있을때 하는 결정보다, 쉬면서 천천히 한 결정이 맞겠지 하는 생각에 선택을 강행했다. 그런데 환자를 보면 볼수록 나와 정말 잘 맞아서, 아기 덕분에 전공을 잘 선택할 수 있었다는 생각이 든다.

사실 출산 전에는 일이고 전공이고 다 너무 힘들어서 때려치우고 싶다는 생각만 하루에 열 번씩(더 되던가...) 하면서 일을 했었는데, 아기를 낳고 나니 육아가 훨씬 더 힘들어서 일을 열심히 해야겠다고 마음을 고쳐먹게 되었다. 그리고, 뭐랄까, 아기를 보는 일은 소중한 일임이 분명하지만, 육아에만 너무 빠져들면 여태까지의 나의 인생은 잠시 잊혀지고 자아가 희미해지는 듯한 느낌이 들었다. 이 느낌이 항상 나쁘다는 것은 아닌데, 엄마가 아닌 나의 모습도 잃고 싶지 않다는 욕망이 마음 한켠에 점점 자라났다. 덕분에 환자 보고 연구하는 일을 게을리하지 않았고, 병원에서는 성실하고 유능하다는 평을 얻었다.

내 아이가 천사가 아닐까 하는 생각은 당사자에게 부담이 될 수 있으니 가능한 피하려 한다. 하지만 만약에 이 세상에 정말 천사라는 존재가 있다면, 그것은 내 아기일 것이다. 하고 생각이 들만큼 내 딸은 나를 건강하게 한다.

03. 그놈의 나쁜 모양

갑상선암의 초음파 소견

처음 암 진단을 받게 되면 떠올리는 기억은 무엇일까. 나는 맨 처음 갑상선 혹이 있어서 받게 된 내분비내과 진료를 떠올렸다. 2019년 봄, 건강검진을 위해 받은 갑상선 초음파에서 나쁜 모양의 혹이 있다며 내분비내과 진료를 권유받았다. 그때 당시 나는 내과 전공의였고, 시간이 없어서 진료를 미루다가 여름쯤이었나 가을쯤이었나 수련병원 교수님께 진료를 받게 되었다. 모양이 나쁘다기에 걱정을 했는데, 교수님은 대수

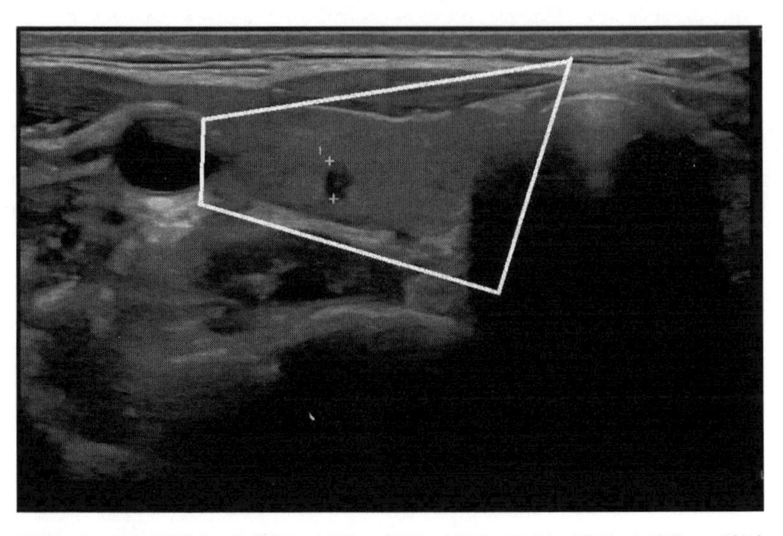

사진 1. 진단당시 초음파 사진. 하얀 네모 표시 안에 보이는 것이 우측 갑상선이다. 한가운데 검은혹이 보인다.

롭지 않은 듯 말했다.

"뻔하지 뭐, 지켜보던가 찔러보던가."

지켜보는 것은 혹의 크기가 커지지 않았는지 초음파를 다시 해 보는 것이고, 찔러보는 것은 세포학적으로 악성인지 양성인지 바늘 조직검사를 해서 알아보는 것을 말한다. 중요한 결정을 스스로 해야 한다는 것이 당황스럽고 부담이 되었다.

"어... 찔러보겠습니다..."

바늘 조직검사는 2020년으로 예약되었는데, 그날은 유난히 더 바빠 조직검사를 받지 못했다. 도대체 '나쁜 모양'이란 뭘지 참 궁금했는데, 내분비내과를 전공하고 나서야 알게 되었다. 이것은 주관적으로 정하는 것은 아니고, 초음파상 갑상선 혹의 모양에 따라 점수를 매겨 K-TIRADS[4](Korean Thyroid Imaging Reporting And Data System)라는 기준에 의해 판정하게 된다.

점수는 2점부터 5점으로 나뉘는데, 5점에 가까울수록 악성 확률이 높고 2점에 가까울수록 양성 확률이 높다. 하지만 환자에게 이렇게 설명하기는 좀 어렵다. 그렇다고 환자가 '도대체 내 모양이 어때서(?) 나쁘다는 거야?'라는 의문을 갖게 하고 싶진 않아서 내 나름대로 K-TIRADS를 요약하여 이렇게 설명한다.

---

4) 2021 Korean Thyroid Imaging Reporting and Data System and Imaging-Based Management of Thyroid Nodules: Korean Society of Thyroid Radiology Consensus Statement and Recommendations

K-TIRADS	초음파 소견	악성 확률
5 (고위험결절)	악성으로 추정되는 특징을 동반한 저음영 비균질 결절 등	> 60%
4 (중간위험결절)	저음영 비균질 결절 단순 석회화 결절 등	10-40%
3 (저위험결절)	부분 고음영 부분 물혹 등	2-10%
2 (양성)	고음영 스폰지 결절 순수 물혹 등	< 3%
1 (결절없음)		

"검고(저음영) 세로로 길쭉하고 경계가 불분명할수록 나쁜 혹입니다.

하얗고(고음영) 가로로 넓적하고 경계가 뚜렷할수록 좋은 혹입니다."

사진 2. 진단당시 우측 갑상선의 사진을 확대한 것. 혹은 검고 경계가 불규칙하여 좋지 않은 모양이었다.

내 갑상선 혹은, 검고 세로로 길쭉하고 경계가 애매한 K-TIRADS 4점 이상의 나쁜 모양 혹이었다.

그때 만약 교수님이

"이 혹은 검고 세로로 길쭉하고 경계가 불분명해서 악성 가능성이 높아. 조직검사는 바빠도 꼭 받아보는 게 좋겠다."

라고 해줬으면 어땠을까 하고, 암 진단을 받자마자 나는 생각했다.

의사가 환자에게 선택권을 주는 것은 나쁘지 않다고 생각한다. 의사는 환자에게 모든 옵션을 설명해야 환자에게 선택권을 줄 수 있고, 환자는 설명을 잘 듣고 다음 치료를 스스로 결정했다는 뜻이기 때문이다. 하지만 나는 이때를 기억하며, 가능한 내가 생각하는 최선의 선택을 먼저 권하게 되었다. 그럼에도 불구하고 환자가 내 선택에 반대하고 본인의 의견을 제시하면 어쩔 수 없지만 말이다.

암 진단을 받고 나서 나는 초진을 더 정성스럽게 봐야겠다고 생각했다. 명의가 되자는 것은 아닌데, 적어도 환자가 마주하게 될 절망의 순간에서 원망스럽게 떠오르는 얼굴이고 싶지는 않기 때문이다.

04. 지금 이 순간

갑상선암의 원인

암에 걸리면 누구나 하는 생각 중에 하나는 '내가 왜 걸렸나' 하는 것이다. 갑상선암의 원인으로는 유전적 요인, 방사선 노출, 갑상선 질환의 병력, 요오드 결핍 또는 과잉, 여성호르몬 투약 및 출산력 등 많은 요인들이 제시되고 있으나 명확히 밝혀진 바는 없다. 갑상선암은 대부분 가족력과 무관하지만, 가족성 비 수질성 갑상선암과 같은 일부 갑상선암 환자에서는 가족력을 나타낸다.

방사선 조사와 갑상선암 발생에 대한 7개 연구를 종합한 분석에 의하면 15세 미만의 환자에서 두경부 방사선 조사량과 갑상선암 발생 사이에 강한 상관관계를 보였지만, 15세 이상에서는 관련성이 없는 것으로 나타났다.[5] 방사선 조사에 의한 갑상선암은 대부분 유두암이며, 다중심성이고 림프절 전이가 흔히 동반됐다.

갑상선 질환의 병력, 요오드 섭취도 명확한 인과관계는 없다. 갑상선암이 여자에게 많기 때문에 여성호르몬 및 출산과의 인과관계도 많은 조사가 이루어졌지만, 결과들은 일관되지 않게 나타났다. 결론적으로, 이유가 없는 것이다.

이유가 없다는 말은, 잔인하다. 차라리 이유가 있었다면 억울하지 않았을 텐데. 잘못된 것도 없는데 왜 암 환자가 되었냐 말이야.

하지만 시간이 지나자, 이유가 없다는 것이 나쁘지 않다. 처음 암 진단을 받았을 때에는 내가 의료기관 종사자이기 때문에 방사선 노출이 많아서 암에 걸렸으려나, 하고 생각하니 왠

5) Ron E, et, al., Thyroid cancer after exposure to external radiation: a pooled analysis of seven studies, Radiat Res 141:259-277, 1995

지 억울했다. 하지만 15세 이상에서 방사선 노출은 유의미한 원인이 되지 못한다는 보고들을 보니, 뭐야 역시 그것 때문이 아니었잖아, 하고 기분이 좋아졌다. 암의 원인이 되었다는 명목으로 나의 과거를 부정하고 싶은 마음은 없기 때문이다.

그러고 보면 원인이라는 것은 애초에 별로 중요한 것 같지 않다. 그런데 질병의 영역에서 뿐만이 아니라 세상 전반에서 모두가 원인을 참 궁금해한다. 서로 호감이 있는 사이에서는 내가 왜 좋아졌는지 궁금해하고, 무엇을 먹고 어디에 갈지의 선택에서도 이유를 들어봐야 하고, 사람들은 내게 왜 의사가 되었는지 묻는다. 원인이라는 것은 그다음 결정을 이어나가게 하는 발판 정도에 지나지 않아서, 시간이 흐르면 희미해진다.

우리 딸은 이제 막 28개월이 지났는데, 뭐든지 엄마가 해주는 것을 좋아한다. 남편과 셋이 깔깔거리며 저녁 식사를 하고 나서

"다 먹었어요. 아가 내려갈래."

라고 하길래 아빠가 아기 의자에서 꺼내 주려고 하자,

"엄마가! 엄마가!"

라고 한다.
평소에는 벌떡 일어나서 꺼내 주었는데, 그날은 나도 끊임없는 간택에 힘이 들어서 물었다.

"그런데 아빠가 꺼내 주는 거랑 엄마가 꺼내 주는 거랑 똑같잖아.
아빠가 꺼내 주면 안 돼?"

딸아이의 얼굴이 붉으락푸르락 해졌다.

"... 엄마가! 엄마가!"

"왜 엄마가 꺼내 줘야 해?
아가 생각을 이야기해봐."

했더니 붉어진 얼굴에서 눈물이 뚝뚝뚝 떨어진다.
분명 처음에는 이유가 있었을 텐데, 시간이 지날수록 이유는 기억나지 않고 엄마가 안아주지 않는다는 사실만 남은 것이다. 결국 내가 꺼내 주었다.

이유 따위, 뭐가 그리 중요하랴. 결국 모든 검사와 수술을 이겨내고 지금을 얻었는데. 궁금해하지도, 원망하지도 않을 것이다. 지금 이 순간만이 제일 중요한 우리 아기처럼.

05. 잘 자란 사람

갑상선암의 검사

생각보다 많은 분들이 갑상선암의 초음파 소견에 대한 글을 좋아해 주셔서 놀랐다. 내가 보기엔 재미가 없는데 많이 읽히는 글도 있고, 즐거워하며 썼는데 쉽게 잊히는 글도 있다. 그런 의미에서 글을 쓴다는 것은 매번 무엇이 들어있는지 모르는 새 선물상자를 여는 것과 같다. 아마도 많은 환자들이 본인의 초음파 검사 결과에 대해 의문은 있었지만 진료실에서 질문하지 못한 것 같다. 오늘은 초음파 이후 수술 직전까지 이뤄지는 검사들에 대해 이야기해보고자 한다.

초음파 검사에서 모양이 나쁜 혹은 조직검사를 권유받는다. 보통 영상의학과 의사가 초음파를 보며 바늘로 혹의 일부를 채취한다. 조직검사라는 표현이 일반인에게 친근해서 나 역시도 자주 쓰지만, 엄밀히 말하면 틀린 표현이다. 정확한 명칭은 세침흡인생검(FNAB, Fine Needle Aspiration Biopsy)으로 문자 그대로 혹을 가는 바늘로 빨아들여 현미경으로 관찰한다는 뜻이다. 바늘에 빨려 들어온 혹의 일부는 언뜻 혈액과 비슷한 모습인데, 그대로 관찰하기엔 세포가 너무 많기 때문에 얇은 유리 슬라이드에 아주 조금만 떨어트려 넓게 펴 발라 퍼뜨린 후 관찰해야 한다. 이런 과정을 도말(Smear)한다고 한다. 병리과 의사가 도말된 세포를 현미경으로 관찰하여 진단명을 붙이게 되는데, 병원마다 다르지만 통상 3~7일 정도 소요된다.

진단은 총 6종류로(The Bethesda System for Reporting Thyroid Cytopathology), 6단계에 가까울수록 악성 확률이 높으며, 3단계부터 수술을 권유할 수 있고, 5단계부터는 악성 확률 67% 이상으로 수술해야 한다. 그렇다면

1단계가 제일 좋냐, 그렇지도 않다. 1단계는 Nondiagnostic으로 진단할 세포가 없다는 뜻이다. 재검사받아야 한다. 2단계가 제일 좋다. 양성으로 재검이나 수술할 필요 없고, 악성 확률 4% 내외이다. 하지만 재검사를 받게 된다 하더라도, 보통 다시 애매한 결과가 나올 경우에 대비하여 유전자 돌연변이 검사 등을 추가하여 더 정밀하게 검사하므로, 보통 두 번 정도 검사를 받으면 수술을 할지 말지 예측할 수 있다.

Bethesda category[6]	악성 확률
6 (악성)	97% 내외
5 (악성의심)	74% 내외
4 (여포성 신생물)	30% 내외
3 (불분명)	22% 내외
2 (양성)	4% 내외
1 (비진단)	13% 내외

6) 2023 Bethesda System for Reporting Thyroid Cytopathology: Implied Risk of Malignancy with Expected Ranges Based on Follow-Up of Surgically

세침흡인생검을 받던 날을 기억한다. 나는 환자들에게 세침흡인 생검을 설명할 때 피검사와 똑같으니 너무 긴장하지 마시라고 했었었는데, 전혀 똑같지 않았다. 얇은 목을 바늘로 찌른다는 것도 불쾌했고, 검사 후에는 괜히 어지럽고 목이 칼칼했다. 목에 붙은 밴드를 한 번씩 쳐다보는 사람들의 시선이 싫었다. 다시 받고 싶지 않았다.

잘 자란 사람이란 어떤 사람일까, 하고 생각해본다. 흔히들 사람을 칭찬할 때 '사랑 많이 받고 자란 것 같다. 고생 안 하고 컸을 것 같다'는 류의 말들을 많이 사용하는데, 난 이 말을 좋아하지 않는다. 사랑 못 받은 사람도, 고생 많이 한 사람도, 그 아픔을 간직한 채 다른 아픔을 품을 수 있다면, 아주 잘 자란 사람이다. 아픈 게 싫지만, 건강한 의사이고 싶지만, 환자인 의사도 나쁘지만은 않은 것처럼.

Resected Nodules with Recommended Clinical Management

06. 변하지 않는 것

갑상선암과 임신

처음 갑상선 결절이 있다는 것을 알게 된 2019년, 갑상선보다 양쪽 난소의 혹이 크기도 모양도 더 좋지 않았기 때문에 계획보다 빨리 아기를 가지게 되었다. 의사가 임신과 출산 경험이 있다는 것이 진료에 많은 도움이 되었다. 산모가 호소하는 증상들이 일반적인 증상인지, 정밀검사를 요하는 증상인지 더 쉽게 알아차릴 수 있었기 때문이다.

처음 내분비내과를 분과로 선택할 때만 해도, 이렇게 산모들을 많이 만나는 과인지 몰랐다. 내분비내과로 온 산모들은 보통 임신성 당뇨나 임신 시 발견된 갑상선 호르몬 수치 이상으로 온다. 두 질환 모두 태아의 발생과 출산에 영향을 주기 때문에, 산부인과 의사와 내분비내과 의사가 함께 협의 진료하며 자주 산모를 진료한다. 긴장하며 아기의 심장박동을 확인한 기억, 떨리는 마음으로 임신성 당뇨검사 결과지를 확인하던 기억이 나에게도 있기 때문에, 아무래도 더 정성껏 산모를 진료할 수밖에 없는 것이다.

갑상선 암 환자는 젊고 어린 여성이 많기 때문에, 가장 궁금한 것은 임신이 재발 위험을 높이는가에 대한 걱정일 것이다. 갑상선암 치료 후에 임신한 산모에서 암 재발 유무를 조사한 여러 연구들에 의하면 갑상선암이 임신에 의해 영향을 받는다는 근거는 없다. 다만 갑상선암으로 갑상선을 절제한 경우 갑상선 저하증이 쉽게 오기 때문에 한 달에 한 번은 혈액검사를 통해 갑상선 호르몬 수치를 측정해야 하고, 더 적극적으로 갑상선 호르몬제 보충을 해야 한다. 갑상선 호르몬 저하는 출산 합병증을 증가시키고, 태아의 신경계 장애, 선천성 기형의 빈도를 높일 수도 있다는 보고가 있기 때문이다[7].

흔히 아이의 기질에 따라 육아 난이도가 결정된다고들 한다. 난이도에 상중하가 있다면, 우리 아기는 중 정도이지 않을까 싶다. 수월했던 점은 밤에 잠을 잘 자는 편이며, 말을 빨리해서 소통이 쉬웠다. 힘들었던 점은 밥을 잘 안 먹어서 아직도 따라다니면서 먹이며, 장난기가 많아서 여기저기 뛰어다니고 질문이 많다. 엄마가 일을 해서 그런지 엄마가 있는 시간에는 식사도, 옷 입기도, 산책도 엄마가 해주지 않으면 난리가 난다. 비교대상은 딱히 없지만, 종합해보면 아주 까다롭지도 아주 쉽지도 않은 편인 것 같다.

---

7) Haddow HE et.al., Maternal thyroid deficiency during pregnancy and sebsequent neuropsychological development of the child, NEJM 341:549-555, 1999

퇴근하고 나서는 짧게나마 동네 산책을 하면서 아기가 좋아하는 간식을 함께 사 먹고 돌아오는데, 이때 아기의 기분이 정말 좋아 보인다. 기분 좋은 딸의 미소를 보면 내가 더 행복하게 해 줄 수도 있는데, 일을 핑계로 공부를 핑계로 못해주고 있는 것을 아닐까 하는 씁쓸한 생각이 든다. 이런 감정의 줄타기를 하며 매일을 살아가는 게 부모의 삶인가 싶을 때면 세상 모든 부모들이 위대해 보이기도 한다.

딸아이도 내가 부족하고, 나도 딸아이에게 미안함을 갖고 있기 때문에 자녀계획은 애당초 하나로 마감했다. 하지만 암에 걸리고 나니, 생각이 조금 달라졌다. 나랑 남편 우리 딸 중에 내가 제일 먼저 죽을 확률이 아무래도 높지 않나. 그렇게 되면 남편과 딸만 둘이 세상에 남게 되는데, 이건 뭔가 좀 아닌 것 같다. 뭔가 별로고, 멤버가(?) 더 있으면 좀 나을 것 같다. 전제도, 결과도 이상한 추론이지만 그냥 내 기분이 그렇다. 현실로 옮기기엔 많은 어려움이 있지만, 어찌 되었든 나의 가족관에 변화가 생긴 것은 인정해야 할 것이다.

어제도 퇴근 후에 산책을 하는데 대뜸 딸아이가

"엄마, 변했어."

라고 한다.
나는 너무 놀라서 물었다.

"엄마가 변했다고?
뭐가 변했어?"

"... 엄마, 변했어."

28개월 딸의 발달하다 만 어휘력은 이따금씩 나를 이렇게 긴장하게 한다.

"좋게 변했어, 나쁘게 변했어?"

"... 좋게 변했어."

뭔가 엎드려 절 받은 기분이지만 일단 안심했다.

그래, 시간이 지날수록 나도 더 변하고 너는 더더더 변하겠지. 그 변화는 취업이 될 수도, 임신이나 육아가 될 수도, 질병이 될 수도 있겠지. 네가 변화하는 그 많은 순간에도 엄마가 너를 사랑한다는 사실은 평생 변하지 않는다는 것을, 엄마가 네 곁에 없는 순간에도 오래도록 기억해주렴.

07. 열등감에 대하여

바이러스 감염과 갑상선염

갑상선 절제 수술을 한 달가량 앞두고 코로나에 걸렸었다. 고열, 가래, 근육통은 3~4일 만에 호전이 되었는데 기침은 2주 넘게 지속되었다. 가족들은 수술을 미뤄야 하는 것은 아닌지 걱정했다. 코로나로 인해 보고 싶은 사람들을 보지 못하고, 아기에게 자기 얼굴만 한 마스크를 씌우고 하는 것들은 참을 만했다. 하지만 어렵게 조절한 수술 일정까지 바꿔야 할 수도 있다는 것은 참 난감했다.

입원환자는 입원 2일 이내에 받은 PCR 음성 결과지가 필요했기 때문에 아침 일찍 근처 병원 선별 진료소에 갔다. 줄이 길어서 세 시간 정도 대기를 했는데, 감염된 이력이 있는 사람의 경우 몇 주에서 몇 달까지 PCR 양성이 나올 수도 있다고 해서 머릿속이 복잡했다. 아직도 양성이면 어떡하지, 수술을 미뤘는데도 양성이면 어떡하지, 아니야 음성일 거야 하는 생각이 뫼비우스의 띠처럼 반복됐다.

누군가는 수술을 위해, 누군가는 유학을 위해, 누군가는 취업을 위해 코로나바이러스 음성 결과지가 필요하다. 하지만 코로나 검사 결과가 양성이라는 이유가 이런 중요한 일들을 가로막을 정당한 사유가 될까? 쉽게 동의할 수 없다.

바이러스 감염 후나 코로나 백신 접종 후에 갑상선염이 생긴 환자들을 꽤 보았다. 갑상선염이란 말 그대로 갑상선에 생기는 염증을 말한다. 자가면역, 세균, 바이러스 등 다양한 이유로 인해 갑상선염이 발생할 수 있다.

갑상선염이 갑상선암을 유발하는지에 대한 결과는 연구별로 상이하다. 갑상선염 중에서도 하시모토 갑상선염과 갑상선 유두암과의 상관관계에 대해 가장 많은 연구가 이루어졌다[8]. 바늘 조직검사를 이용한 연구에서는 하시모토 갑상선염이 갑상선암의 위험인자가 되지 못하는 것으로 나타났다. 하지만 갑상선 절제술을 이용한 연구에서는 하시모토 갑상선염 환자에서 갑상선암 유병률이 평균 27.6%로 대조군에 비해 1.59배 높게 나타났다.

내가 가장 싫어하는 감정을 딱 하나만 뽑아보라고 한다면 나는 열등감이라고 대답할 것이다. 이놈의 열등감은 개입되는 순간 모든 관계를 순식간에 망쳐버렸다. 나를 좋아한다던 남학생이 너는 뭐가 그리 잘났길래 내 맘을 무시하냐고 말했을 때, 잘 지내던 직원이 그래 봤자 의사들은 다 똑같다고 이야기하는 것을 들었을 때, 관계는 끝나다 못해 돌이킬 수 없을 만큼 얼룩져버렸다. 애초에 열등감 같은 감정이 없었다면 세상은 훨씬 아름다웠을 텐데, 하고 생각했다.

암에 걸린 나는 열등감이라는 것이 폭발했다. 갑상선암에 걸린 것도 싫고, 수술을 받아야 하는 것도 싫은데 그 싫은 수술

8) Jankovic B, et.al., Hashimoto's thyroditis and papillary thyroid carcinoma: is there correlation?, L Clin Endocrinol Metab 98:474-482, 2013

마저도 코로나에 걸려 못 받을 수도 있다니 이 무슨 기괴한 상황이지. 사람을 세 그룹으로 나누자면 건강한 사람, 암환자, 코로나에 걸린 암환자로 나눌 수 있고 나는 그중에 최악인 그룹에 속하는구먼, 하고 실소했다.

어쩌면 열등감의 다른 이름은 슬픔이 아닐까. 슬픔의 원인을 외부에서 찾고 싶을 때, 열등감이 고개를 든다. 하지만 진짜 슬픔은 저 멀리 있는 것이 아니라 가까운 내 안에 있어서, 내가 잠잠히 바라봐 줄 때까지 나를 기다리고 있다.

오후 5시면 나온다던 코로나 검사 결과가 밤 10시가 넘도록 나오지 않아서 잠들어 버렸다. 아침이 되어서야 결과를 확인했다.

『OO대학교 OOOO병원 검사결과 안내
송월화님(등록번호 XXXXXX)
2022년 X월 X일 OOOO병원에서 시행한
코로나바이러스감염 PCR검사 결과
음성으로 확인되었습니다. 감사합니다.』

밤새 찾아온 열등감이라는 손님은 아침이 되자 떠나갔지만, 이상하게 처음으로 싫지만은 않았다. 그래도 자주 만나고 싶다는 얘기는 아니고.

II. 갑상선암의 치료

08. 수술 직전에 한 생각

갑상선암 수술 준비

검체유형: Thyroid Aspirate (Right) Liquid-based preparation

[세포병리학적 진단]

Category V. Suspicious for malignancy
- Suspicious for papillary carcinoma

조직검사 결과를 확인하고 한동안은 아무것도 할 수 없었다. 그런데 아무것도 하지 않으니 아무것도 나아지는 것이 없었다. 나는 아무것도 할 수 없을 만큼 괴로웠던 과거들을 떠올렸다. 그 상황에서 빠져나올 수 있는 방법은 다음을 계획하는 것뿐이었다. 나는 세침흡인검사 결과 5단계(Suspicious for malignancy)가 나오면 무엇을 해야 하는지 알고 있었다.

갑상선내분비외과 외래에 전화를 걸었다.

Bethesda category[9]	악성 확률	조치
6 (악성)	97% 내외	수술
5 (악성의심)	74% 내외	수술, 유전자검사
4 (여포성 신생물)	30% 내외	수술, 유전자검사
3 (불분명)	22% 내외	재조직검사, 유전자검사, 수술
2 (양성)	4% 내외	초음파 추적
1 (비진단)	13% 내외	재조직검사

9) 2023 Bethesda System for Reporting Thyroid Cytopathology: Implied Risk of Malignancy with Expected Ranges Based on Follow-Up of Surgically Resected Nodules with Recommended Clinical Management

"안녕하세요. 내분비내과 송월화인데요.
제가 FNAB Five가 나와서 수술을 받아야 하는데...
외래 언제가 가능할까요?"

"선생님이 Five가 나왔다고요?"

"네. 허허."

"선생님이요? 선생님이... 선생님을... 잠시만요... 등록번호가 어떻게 되시죠?"

외래를 보고 검사를 받고 수술 날짜를 정하자 기분이 조금 나아졌다. 환자가 되어 이런 과정들을 진행해보니, 공복으로 대기하는 시간이 길어 힘들었다. 채혈은 할만한데 CT촬영이 정말 별로였다. 뜨거운 조영제가 온몸을 지나며 불쾌한 향기까지 내뿜는데, 왜 환자들이 이 과정에서 구토도 하고 실신도 하는지 이해가 되었다. 나는 정말 꼭 필요한 게 아니면 공복 검사를 함부로 내지 않아야겠다고 생각했다.

수술 방식을 선택할 수 있었는데, 나는 고전적인 절개방식을 선택했다. 나는 내과의사이기 때문에 수술에 대해서는 잘 모르지만, 인턴 때 수술방에서 보았던 경험에 의하면 절개방식이 목에 흉이 남는다는 것 외에는 여러모로 깔끔하고 부작용도 적을 것 같다는 인상을 받았기 때문이다. 절개를 하면 한 시간에 가능한 수술을 로봇으로 세 시간째 하고 있으면 이게 이 정도 가치가 있는지 의문이 들었다.

남편은 집에서 아기를 봐야 하기 때문에, 보호자가 없는 간호간병 병동으로 입원을 했다. 세면도구, 로션, 물, 빨대, 옷가지, 가습기, 노트북, 충전기 정도로 짐을 싸갔는데, 이 정도면 충분한 것 같다. 수술 당일에는 머리를 양갈래로 땋고 수술실에 들어가는데, 혹시라도 머리카락이 뒤통수에 걸려있다가 빠지는 등의 일로 인해 수술 도중에 포지션이 바뀌면 위험하기 때문이다.

수술 준비실에서 수술모를 쓰고 몇 가지 정보를 확인하고 수술방에 들어갔다. 수술방에서 환자로서 객체가 되어 누워있는 기분은 좀 별로다. 그런데 사실 주체로서 수술 준비를 하는 기분도 그렇게 좋진 않다. 그러고 보면 수술방은 안에 있는 모두가 함께 불행에 맞서 싸우는 중일지도 모르겠다.

3년 전 딸아이의 심박수가 떨어지며 응급 제왕절개를 하게 되었을 때를 기억한다. 수술방에서 기억이란, 마취 유도 직전까지의 기억이 전부겠지만. 그때 당시 나는

'아기가 살아서 나오게 해 주세요.'

라고 기도 했다.

이번에는 수술실에서 뭐라고 기도를 해야 할까, 미리 생각을 해보았지만 딱히 떠오르는 것은 없었다.

"교수님, 마취 시작하겠습니다."

하는 소리가 들리자 기도가 저절로 나왔다.

'아. 감사합니다.'

뭐가 감사했던 걸까? 성경에서는 모든 상황에 감사하라고 하는데, 이런 말 하면 목사님께 혼나겠지만 난 반대파였다. 사람

은 본인이 수용할 수 있는 그릇이 있고 그것에 넘치는 불행이 다가오면 버겁고 화가 난다. 하나도 안 고맙고 짜증 나는데, 고마운 척할 순 없는 노릇이다. 하지만 마취 직전에 든 나의 생각은 진심이었다.

사랑하는 가족들이 있어서, 평생의 꿈을 직업으로 가지게 되어서, 더 아프기 전에 암을 발견하고 제거하게 되어서, 참 나쁘지 않은 인생인데, 암환자가 되었다고 억울해하는 데에 남은 시간을 낭비하고 있다. 감사할 것이다. 하나님 기분 좋으라고가 아니라 내 기분 좋으라고.

09. 딱 좋은 나이

갑상선암 수술

눈을 떠보니 회복실이었다. 마취과 친구가 회복실에서 환자가 자꾸 말을 걸거나 침대에서 내려오려고 하는 것만큼 난감한 게 없다고 한 것이 기억났지만 깨어났다는 티는 내고 싶어서, 부지런히 눈만 깜빡깜빡 감았다 떴다 하고 있었다. 회복실에서 눈을 뜨면 가장 먼저 드는 감정은 안도이다. 인생의 챕터가 있다면 전환이 된 느낌이랄까. 역시 나에게도 다음 이야기가 있어.

이송원이 도착해서 병실로 이동하기 시작했는데 갑자기 머리가 깨질 듯이 아프기 시작했다. 아마도 수술 시 목을 최대한 위로 들어 올리는 자세(Full extension)를 유지했었기 때문에 후두부에 무리가 갔을 것으로 추정한다. 병실에 가까워지고 담당 간호사님의 얼굴이 보이자 말했다.

"저... 근데 머리가 너무 아픈데요..."

목소리가 나와 안도했다. 수술 위치가 목소리를 지배하는 신경과 인접하여 발성에 문제가 생길 수 있었기 때문이다. 간호사님이 서둘러 뒷목과 어깨에 파스를 붙여주었고, 수술부위에는 얼음팩을 대주었다. 이동을 위해 목 주변 근육에 힘을 조금만 주어도 목이 화끈거리고 주변 근육들이 아파왔다. 손과 발이 저리기 시작했다. 수술 후 부갑상선의 혈액순환장애로 인해 발생할 수 있는 증상이었다. 물먹는 연습을 해보자고 간호사님이 빨대가 꽂힌 냉수를 주셨는데, 한 모금 넘길 때마다 사레가 들리며 목이 아파와서 간호사님이 나간 후로는 물을 마시지 않았다. 나는 나의 병과 수술 후 증상들에 대해 전부 이해하고 설명할 수 있었다. 하지만 스스로에게 해줄 수 있는 것은 별로 없어서 무력감을 느꼈다.

몸이 성치 않은데 수액 때문에 폴대를 끌고 다니는 것이 참 불편했다. 수액줄 때문에 옷을 갈아입기도 힘들고 샤워를 하기에도 곤란했다. 첫 수술로 진행해서 수술이 10시쯤 끝났는데, 전날 자정부터 금식이었으니 10시간 넘게 공복이었다. 정신을 차려보니 배가 너무 고팠는데 저녁이 되어야 죽이 나올 것이라고 해서, 몰래 가져간 쿠키를 먹었다. (죄송합니다...) 나는 불필요한 경우에는 수액은 주지 않고 식이처방은 좀 더 신경 써야겠다고 생각했다.

창문 유리로 양갈래 머리를 한 내가 보였다. 이런 머리 해본 게 20년도 더 된 것 같은데. 문득 학생 때 생각이 났다.

수능이 끝나고 재수학원 친구들과 명동에서 만났다. 평일 낮 시간에 학원이 아닌 곳에 있다는 것 자체만으로 참 신이 났다. 생전 처음으로 친구들과 백화점에 들어갔는데, 1층 액세서리 코너에서 예쁜 헤어밴드를 발견했다. 두께는 1센티 정도로 두껍지 않았지만 바깥쪽은 연보라색 실크 재질이었고 한편에 브랜드 로고가 작은 금장으로 박혀있었다. 안쪽에는 짙은 보라색 스웨이드가 덧대져 있고 브랜드 로고가 음각으로 새겨진 심플한 헤어밴드였다. 하지만 가격은 그다지 심플하지 않았다.

내가 오랫동안 보고 있으니까 친구들이 한번 해보라고 응원(?)을 해주어서 착용을 해 보았는데, 더 마음에 들었다. 내가 망설이자 친구들이 수능도 끝났는데 이 정도 사도 되지 않냐, 사서 매일 하고 다니면 뽕을 뽑는 거다, 하고 또다시 응원을 해주어서 지갑에 있는 모든 현금을 털어서 헤어밴드를 샀다.

그 헤어밴드를 한동안 정말 열심히 하고 다녔다. 함께 동봉된 품질보증서에 '액세서리의 특성상 파손 시 A/S가 어렵습니다.'같은 문구가 있어서 매번 처음 샀던 케이스에 고이 보관했다. 그런데 어느 날, 동아리 언니가 사람들이 많은 자리에서 '머리띠 할 나이는 아니지 않니?'라고 웃으며 말을 해서 멋쩍었다. 그 뒤로 헤어밴드를 하려고 할 때마다 어쩐지 그 말이 떠올라서 점점 안 하게 되었다. 그런데 삼십 대 중반에 양갈래 머리를 하고 나니, 이십 대 초반에는 헤어밴드 열개를 하고 다녀도 됐었겠는데, 싶었다.

무엇을 하기에 딱 좋은 나이 같은 것은 없다. 내가 하고 싶은 생각이 드는 나이가, 그것을 하기 좋은 나이다. 그때그때 하고 싶은 것을 실천하며 살기만 해도 인생은 짧다. 중요하지 않은 사람의 말까지 검토해줄 시간이 없다. 왜 남은 시간이 길지 않을 수도 있을 때에야 이 사실을 알게 될까.

다음번에는 핑크색으로 염색을 하고 싶다. 우리 딸이 좋아하는 시크릿쥬쥬처럼.

10. 안단테 소프라노

갑상선암 수술 후유증

수술 직후에는 움직이기가 힘들어서 느끼지 못했는데, 오후가 되니 불편한 부분이 특정되기 시작했다. 목은 뜨겁고 딱딱한 느낌은 줄어들었지만, 피부가 간지럽고 당기는 느낌은 심해졌다. 손발 저림은 줄어들었지만 남아있었다. 물을 마실 때는 사레가 자주 들려 지금도 빨대를 애용한다. 고개를 숙이고 물을 마시면 사레가 덜 들린다는 것을 시간이 꽤 지나서야 깨달았다. 가장 불편한 점은 목소리가 작게 나오고 고음이 나오지 않는다는 것인데, 이 증상 역시 지속되고 있다. 외과 선생님께 문의하니 6개월 이상 증상이 지속될 수 있다고 한다.

나는 초등학교, 중학교 내내 합창단 활동을 했다. 처음 시작을 하게 된 것은 그저 단복이 예뻐서였다. 민트색 리본 타이가 달린 세일러복이었는데, 합창단은 3학년부터 할 수 있었으므로 세일러복을 입은 언니들을 보면서 어서 3학년이 되기를 손꼽아 기다렸다. 3학년이 되자마자 입단 테스트를 받았다. 테스트를 통해 소프라노, 메조소프라노, 알토로 파트가 나뉘게 되는데, 다들 내심 가장 돋보이는 소프라노가 되고 싶어서 테스트 내내 묘한 긴장감이 흐른다.

내가 노래를 시작하려고 하자, 단장 선생님이 물으셨다.

"너 혹시 오빠 있니?"

"아니요."

"내가 아는 학생과 많이 닮아서...
그 친구 동생인 줄 알았네.
시작하세요."

사실 선생님뿐만 아니라, 나는 평생 자기가 아는 누군가와 닮았다는 소리를 많이 들었다. 중학교 때는 처음 본 친구들이 너무나 확신에 차서

"쟤야, 쟤, 문OO!"

하며 지나가는 일도(나는 송 씨인데...) 있었고, 고등학교 때는 다른 반 친구가 자기를 닮았다고 자꾸 언급된다며 기분 나빠서(?) 나를 보러 오기도 했다. 실습학생 시절에는 전공의 선생님이 명찰을 빤히 보다가,

"양 씨가 아니네.
너무 똑같이 생겨서 양OO 동생인 줄 알았다."

라고 말한 적도 있었다.

처음엔 기분이 이상했는데, 자주 듣다 보니 무뎌졌다. 그저 나와 닮은 그 누군가가 아주 나쁜 사람은 아니기를 바랄 뿐.

긴장된 상태로 노래를 마치자 단장 선생님이 고개를 갸웃했다. 고민 끝에 소프라노로 배정해 주셨다. 나랑 닮았다던 그 오빠가 아주 나쁜 사람은 아니었나 보다, 하고 생각했다.

합창단은 매일 아침 일찍, 때로는 점심식사 후에나 방과 후에도 연습을 했기 때문에, 나는 오랜 시간이 지나지 않아서 합창단을 한 것을 후회했다. 하지만 대회날이 되어 단장 선생님과 옆 친구들과 눈빛을 주고받으며, 한 소리를 내는 경험은 굉장히 특별하고 소중한 기억이었다. 시상을 할 때 친구들과 손을 모으고 우리 학교 이름이 불려지기를 바랐다. 그 기억이 좋아서 결국 매년 합창단에 지원하고, 연습을 하며 후회를 하고, 대회에 나가서 감동하고를 반복했다. 어쩌면 대회 후에 먹는 짜장면 맛이 좋아서였을 수도 있고.

수술을 하게 되면 고음이 나오지 않을 수도 있다는 말에, 기분이 이상했다. 그럼 더 이상 소프라노가 아닐 수도 있겠네, 하고 생각했다. 합창단을 그만둔 지 10년도 훨씬 넘었으면서.

가장 좋아했던 합창은 '구름 타고 날아 보자'이다. 멜로디가 예쁘고, 이 곡으로 우리 학교 합창단이 라디오 방송까지 출연했었기 때문에 더욱 각별했다. 가사는 다음과 같다.

『구름 타고 날아보자
이 세상 끝까지 날아 가보자
더운 나라 추운 나라
따뜻한 남쪽 나라로
온 세상 이곳저곳 날아
친구들 모두 만나고 싶어요

친구들마다 얼굴이 다르고
말도 모두들 다르지만
우리는 알 수가 있어요
그리고 느낄 수 있어요
서로의 마음을』

퇴근길 차에서 혼자 불러보니 역시 소프라노는 무리다. 그렇다고 메조나 알토도 중요해, 같은 진부한 이야기를 하고 싶지는 않다. 내가 내과인 것을 자랑스러워하듯이, 소프라노는 나의 자랑이었으니까.

내가 책 출간을 망설였던 이유는 단 하나, 주목받는 것을 힘들어하기 때문이다. 하지만 막상 출간을 하고 나니, 나와 비슷한 사람들이 나의 생각에 공감하며 '우리는 다른 인생을 살고 있지만, 같은 고민을 하고 있다.' 고 말해주어서 책을 세상에 내놓길 정말 잘했다고 생각했다.

알토가 되어본 적은 없지만, 작가가 되고 난 후의 세상이 좀 더 멋진 걸 보면 알토가 되고 난 후의 세상도 좀 더 멋질 수도 있지 않을까. 해보지 않고서야 알 수가 없으니 말이다. 우리는 모두들 다르지만, 세상 끝까지 날아가 보자고 호기롭게 외치던 어린 노래처럼.

11. 이어달리기

갑상선암 수술 후 방사성 요오드 치료

방사성 요오드란 흔히 음식에서 섭취할 수 있는 일반 요오드와 달리 방사능이 있는 요오드로써, 물약이나 알약 형태로 복용한다. 일반 요오드와 경쟁적으로 갑상선에 흡수되어 수술 후 남아있는 갑상선 조직을 파괴한다. 4cm 이상의 종양을 가진 45세 이상의 환자나, 전이가 있는 환자에서는 방사성 요오드 치료가 사망률을 낮춘다고 많은 연구에서 보고했지만, 이외의 경우에서는 아직 논란이 있다. 다만 저위험 분화암 환자에서도 방사성 요오드 치료 이후에 재발률은 69% 감소되고, 원격전이 발생률도 50% 감소하는 것으로 나타났다[10].

요오드 치료는 비교적 안전한 치료이지만 침샘 손상, 눈물관 폐쇄, 이차성 암 발생 등 합병증이 적게나마 보고되었기 때문에, 저 위험군에서는 수술 후 방사성 요오드 치료를 선택적으로 고려해야 한다.

수술 후 환자에게 방사성 요오드 치료를 받는 게 좋겠다고 말하면 거부감을 느끼는 경우가 많다. 수술로써 치료가 끝났다고 생각하기 때문이다. 하지만 의외로 가장 중요하다고 생각했던 일을 끝냈을 때 보다, 그다지 중요치 않다고 생각한 일을 해냈을 때 더 큰 성취감을 느낀 경험이 누구나 있을 것이다.

내가 가장 큰 성취감을 느낀 수업은 수학이나 과학이 아닌, 중학교 2학년 체육수업이었다. 그때 당시 체육 선생님은 여자중학교의 몇 안 되는 남자 선생님이었기 때문에 아이돌을 방

---

10) Sawka AM, et, al., A systematic review and meta analysis of the effectivness of radioactive iodine remnant ablation for well-differentiated thyroid cancer, J Clin Endocrinol Metab 89:3668-3676, 2004

불케 하는 인기가 있었다. 하지만 유난히 1학년, 3학년도 아닌 2학년 때 체육선생님을 특정한 이유는, 선생님이 특별히 교육적이셨기 때문이다. 선생님은 항상 실기 시험에서 학생별로 개별화된 목표치를 정해주고, 그 기준을 달성하면 만점을 주었다.

가장 기억에 남는 실기 항목은 이어달리기였다. 100미터 달리기가 빠른 순서대로 1번부터 44번까지 나열한 뒤, 네 명씩 조편성이 되었다. 나는 달리기가 빠른 편으로 2조였고, 우리 조는 다른 조보다 더 단시간 내에 완주해야 만점을 받을 수 있었다. 기회는 각 조별로 세 번씩 있었는데, 우리 조는 첫 번째에도 두 번째에도 목표시간 내에 완주하지 못했다.

이어달리기에서 중요한 것은 아무래도 바통터치다. 조금이라도 버벅대면 바로 목표시간을 넘어갔다. 조원들은 그동안 연습했던 기억을 떠올리며 좀 더 집중하기로 심기일전했다. (사실 목표시간을 너무 타이트하게 설정해놓은 선생님을 잠깐 욕했다.)

마지막 시도를 남기고 레이스에 서있었다. 다른 조 친구들은 구령대 위에서 우리를 지켜보고 있었다. 가슴이 쿵쿵 뛰었다. 나는 세 번째 주자였다. 첫 주자가 두 번째 주자에게 바통을 넘겨주는 것을 지켜보았다. 전혀 버벅거림이 없고 한 사람이 뛰듯이 전달되어서, 속으로 '그렇지!'하고 외쳤다. 두 번째 주자가 나에게 바통을 넘길 때도 실수 없이 부드럽게 전달되었다. 마지막 친구에게 달려가면서 나는 기분이 너무 좋았다. 시원한 바람이 온 힘 다해 나를 밀어주고 있었다. 바통을 넘기면서 나는 외쳤다.

"이번엔 될 거 같아!"

순간 바통을 이어받은 친구의 눈빛이 변하는 것을 보았다. 마지막 친구는 바통을 꽉 쥐고 전력 질주를 해 주었다. 우리는 근소한 차이로 목표시간 내에 완주했고, 얼싸안고 소리를 질렀다. 흐뭇하게 바라보던 선생님의 표정을 기억한다.

국가고시나 전문의 시험처럼 잘못되면 큰일이 나는 시험을 끝내고 났을 때에는, 의외로 기분이 좋지만은 않았다. 안도감이야 당연히 들었지만, 긴장이 풀려서인지 묘하게 허무하고 우울하기도 했다. 하지만 잘못돼도 큰 상관은 없는 작은 도전들은, 많으면 많을수록 나를 행복하게 만들었다.

삶에서 작은 도전들을 만날 때마다, 나는 중학교 체육수업의 이어달리기를 떠올렸다. 그때 품었던 의구심, 떨림, 함성을 기억한다.

이 글을 읽는 당신이 요오드 치료라는 바통을 이어받아야 한다면, 바통을 꽉 쥐고 전력 질주해 주었으면 좋겠다. 레이스의 끝에서 나는 마음으로나마 당신을 얼싸안아 줄 것이다.

12. 아기에게 없는 감정

갑상선암의 외부 방사선 치료

방사성과 방사선의 발음이 유사하기 때문에 자주 혼동되지만, 두 치료는 엄연히 다른 치료이다. 방사성 요오드를 섭취해서 치료하는 방법을 방사성 요오드 치료라고 하고, 고에너지의 방사선을 기계로 몸에 조사해서 치료하는 방법을 외부 방사선 치료라고 한다. 외부 방사선 치료는 수술이 불가능하거나, 방사성 요오드 섭취능이 없거나, 분화도가 나쁜 암이거나,

주요 기관(뇌, 척추, 골반, 임파선 등)에 전이가 있을 때 고려한다. 갑상선 암뿐만 아니라 많은 다른 암에서 치료로 사용하는 방사선 치료가 바로 이 외부 방사선 조사 치료이다.

치료의 효과는 종양 부하(Tumor burden)에 따라 천차만별이다. 부작용은 조사 부위에 따라 다른데, 갑상선에 조사하는 경우 연하곤란, 식도 협착, 후두 협착, 부종 등이 발생할 수 있다.

고백하건대, 나는 사실 혐오하는 것이 많은 사람이다. 직장에서 서로 미루던 일이 결국 나에게 왔을 때, 오래 볼 사이가 아니라고 차문 밖으로 욕을 하는 운전자를 볼 때, 금전적인 이유나 개인적인 욕심으로 다른 사람에게 사기 치는 사람들을 만날 때, 사람이 싫다 못해 세상이 꼴 보기 싫어졌다. 처음에는 슬픔 정도였던 것 같은데 비슷한 상황이 반복되다 보니 언제부터인가 혐오하게 되었다. 다만 혐오를 표현하지는 못해서, 서로 미루던 일은 그냥 내가 하기도 하고, 욕하는 운전자를 보지 못한 채 하고, 사기 치는 사람에게는 눈치 못 챈 척 빠져나오기도 했다. 겉으로 보기엔 꽤나 나이스 했을지도 모르겠다. 하지만 내 마음 깊은 곳에는 상대방에 대한 경멸감, 배신감, 회피 본능이 자라나고 있었다.

최근에 딸아이를 관찰하다가 알게 된 것인데, 아기에게는 혐오라는 감정이 없다. 부끄러움, 무서움 등의 감정은 있지만 이것은 혐오와 확실히 구분되는 감정이다. 혐오하는 것이 없기 때문에, 앞으로 혐오하게 되지 않을까 두려워하는 불안감도 없다. 놀이터에서 처음 보는 언니를 따라다니고, 부딪혀서 다치더라도 언제 그랬냐는 듯 다음 놀이기구로 달려간다. 보통의 어른이 상대방에게 실망했을 때 지어지는 지긋지긋하다는 듯한 표정과 말투가 전혀 없다. 나는 늘 딸에게 엄마처럼 바르게 이야기해야지, 엄마처럼 조용히 기다려야지 하며 예의라는 것을 가르쳤는데, 사실 내가 딸아이처럼 두려워하지 말고, 아기처럼 혐오하는 마음 없이 세상을 대해야 했던 것은 아닐까.

혐오의 이유는 자기 방어일 것이다. 나에게 피해가 될 것 같은 상황, 나에게 피해를 줄 것 같은 사람을 마주할 때 혐오라는 경험의 산물이 수면위로 떠오르며 스스로를 보호하는 것이다. 하지만 혐오라는 것을 모르는 어린아이가, 때론 어른보다 더욱 단단하고 건강해 보인다.

방사선 치료는 수술로 암을 완전히 제거할 수 없을 때 고려하는 2차 치료 개념이기 때문에, 치료의 과정이 희망적이지만은 않아 많은 환자들이 힘들어한다. 때로는 본인의 처지나 치료과정, 의료기관에 대한 혐오감을 표현하는 분들도 있다. 먼저, 우리의 혐오감을 인정하자. 우리는 아기와 달리 너무 많은 시간을 살았고 너무 많은 피해를 당했고 너무 많은 혐오대상이 있다. 하지만 그래도, 아기처럼 편견 없고 싶고 두려워하지 않고 싶고 혐오를 모르고 싶다. 그 편이 훨씬 즐겁고 행복해 보이기 때문이다.

싫어하는 말투를 들을 때, 싫어하는 유형의 사람이나 상황을 마주할 때. 혐오를 모르는 아기의 맑디 맑은 표정을 떠올리며, 더 이상 내 마음속의 혐오 나무에 물을 주지 않을 것을 다짐한다. 대신 아기가 선물해 준 도전과 희망, 기쁨의 씨앗을 심는다. 오늘도, 내일도 무럭무럭 자라도록.

13. 나에게 착한 사람

갑상선암의 항암 치료

외부 방사선 치료와 마찬가지로, 수술이나 방사성 요오드 치료가 어렵거나 병변의 진행이 빠른 경우 항암 약물 치료를 고려하게 된다. 항암제에는 기존의 화학요법(Doxorubicin)과 티로신 키나제 억제제(Sorafenib, Lenvatinib 등), 면역항암제(Pembrolizumab) 등이 있다. 기존의 화학요법(Doxorubicin)은 미국 FDA에서 인정한 최초의 화학요법이지만, 부작용에 비해 효과가 낮기 때문에 일차적으로 추천되지는 않는다.

티로신 키나제 억제제(Sorafenib, Lenvatinib 등)는 주로 경구약으로 복약이 쉽다는 이점이 있고, 암의 진행을 억제한다는 많은 보고가 있다[11]. 하지만 피부 부작용(Hand-foot skin reaction), 고혈압, 설사 등의 부작용이 30~50% 정도로 높게 나타났고, 10~20%에서는 투약을 중단했다.

이외에도 면역항암제(Pembrolizumab)의 효과가 입증되었지만, 적용대상이 한정적이고 국내에서는 아직 보험적용이 되지 않아 재정적인 문제가 뒤따른다.

임상강사가 끝나갈 무렵, 근무 중이던 병원에서 승급 제안을 해주었고, 외국계 제약회사 최종면접을 통과하고 Offer를 기다리고 있었다. 그러던 중에 다른 병원에서 내분비내과 과장직을 제안받았는데, 조건이 재직 중인 병원이나 제약회사보다 좀 더 나아서 고민 끝에 가겠다고 답했다. 재직 중이던 병원

---

11) Hoftijzer H, et.al, Beneficial effects of sorafenib on tumor progression, but not on radioiodine uptake, in patient with differentiated thyroid carcinoma, Eur J Endocrinol 161:923-931, 2009. Ahmed M, et.al, Analysis of the efficacy and toxicity of sorafenib in thyroid cancer: a phase II study in UK based population, Eur J Endocrinol 165:313-322, 2011. 외 다수

도, 제약회사도 다른 경쟁자를 두고 나에게 먼저 제안을 해준 터라 경쟁자에게 피해를 입히고 싶지 않은 마음에 바로 다른 병원으로 가게 되었다고 알렸다. 그런데 그날 밤 돌연 가기로 했던 병원에서 TO가 줄어 임용을 못해주겠다고 말을 바꿨다. 제약회사도, 재직 중이던 병원도 2순위 경쟁자를 채용하기로 한 후였다. 나는 순식간에 실직자가 되었다.

제안들을 받기까지는 오랜 시간이 걸렸지만, 모두 날리는 데에는 하루면 충분했다. 베란다에서 미안하다는 전화를 받았는데, 끊고 나서 한동안 안에 들어갈 수가 없었다. 오라는 곳이 많다며 신난 가족들에게 뭐라고 하지. 남편은 군인 신분이고 아이는 어리기 때문에 우리 집에서 나의 수입은 절대적으로 중요했다. 다른 사람을 배려한답시고 우리 가족을 전혀 보호하지 못한 것 같아 자괴감이 들었다. 창문 밖을 바라보고 있는데, 이 모든 게 꿈이었으면 좋겠다고 생각했다. 끊었던 우울증 약을 다시 먹기 시작했다.

흔히들 '나에게 착한 사람'이 되라고 한다. 내가 나에게 좀 더 착한 사람이었다면, 이직할 병원과 최종 계약서를 쓰기 전까지는 다른 제안들은 보류 상태로 두는 것이 맞았을 것이다. 하지만 나는 나를 채용하지 못하게 되면 곤란해질 기관들, 나로 인해 채용되지 못해 낙담할 경쟁자들을 지나치게 먼저 신경 썼다. 다른 사람들은 비슷한 경험을 하지 않았으면 하는 마음에서 글을 쓴다. 내 것을 안전하게 챙길 줄 알아야 다른 사람도 챙겨줄 수 있는 것이다.

항암 치료를 하는 게 좋겠다고 권고받은 갑상선 암 환자가 있다면, 일단 시도해 보았으면 한다. 아마도 티로신 키나제 억제제를 권고받았을 텐데, 부작용이 두렵더라도 용기 내주었으면 한다. 투약을 중단할 정도의 부작용이 있다면, 다른 항암 옵션이 있는지 주치의에게 적극적으로 물어보았으면 좋겠다. 비용이 부담된다면, 사보험의 보장은 어디까지 받을 수 있는지, 사회사업팀의 지원을 받을 수 있는지 잘 따져보면 좋겠다.

다른 사람은 너무 고려하지 않고, 온전히 나에게 착한 결정을 해주었으면 좋겠다.

다행히도 시간이 흐른 뒤 한두 군데의 병원에서 추가 제안을 받았고, 현재의 직장으로 이직했다. 나는 지금 직장이 마음에 든다. 모든 게 끝난 줄 알았지만, 거기서 끝이 아니었다. 당신에게 항암치료도 그랬으면 좋겠다.

III. 갑상선암의 관리

14. 암환자의 장점

갑상선암의 유전자 돌연변이

수술 후 처음으로 간 외래에서는 많은 일이 일어난다. 먼저 시행한 세침흡인검사 결과보다 수술 당시 떼어낸 조직을 분석한 결과가 더 정확하기 때문에, 수술 조직을 분석 결과를 토대로 진짜 암이 맞다면 확진이 된다. 확진이 되면 중증 등록도 이날 이루어져서 중증 환자로 분류되고 보험혜택도 받게 된다.

갑상선암의 종류를 나누는 방법은 크게 두 가지로, 암세포의 기원에 따라 나누는 방법과, 세포의 분화 정도에 따라 나누는 방법이 있다. 여포 세포에서 기인한 암에는 유두암, 여포암, 미분화암 등이 있고, 여포 세포 외의 세포에서 기인한 암에는 수질암, 림프종 등이 있다. 분화도가 좋다는 의미의 분화암에는 유두암, 여포암이 포함되고 분화도가 나쁜 암은 미분화암 또는 역형성암이라고 부른다.

여포 세포에서 기인하며 분화도가 좋은 유두암, 여포암이 국내 갑상선암의 90% 이상을 차지하기 때문에 갑상선암 전체의 예후가 좋은 것으로 소문이 났지만, 여포 세포 외에서 기원하거나 분화도가 나쁜 암은 예후가 좋지 않고, 미분화암의 경우에는 5년 생존율 0%이다.

나는 세침 결과도 수술 결과도 동일하게 유두암 진단을 받았다. 수술 조직으로 유전자 돌연변이 검사를 하게 되는데, 분화암에서는 BRAF, RAS, RET/PTC 등을 검사하게 된다. 유전자 돌연변이 검사 결과와 암의 공격성과의 상관관계는 아직 논란의 여지가 있지만, BRAF 돌연변이가 갑상선 유두암의 초기 발생 기전이 됨과 동시에 불량한 예후인자가 된다는 것이

현재까지의 정설이다[12].

갑상선 호르몬제, 진해거담제 등등이 포함된 처방전을 받아 약국으로 갔다. 약값이 19만 원 정도 나왔는데 나는 9천5백 원밖에 내지 않았다. 중증 환자라 본인부담금이 5%로 낮아졌기 때문이었다. 마치 나라에서 '내가 5년 동안 팍팍 지원해줄 테니까 완치하렴'이라고 응원해주는 듯한 느낌을 받았다.

나는 10대 때부터 개인적으로 유지해오던 건강보험과 실비보험이 있었다. 보험금을 가져갈 때와 달리 매우 깐깐한 심사 과정을 거쳤지만 그래도 그동안의 치료비가 부담스럽지 않을 만큼의 보상을 해주었다.

집에 돌아온 나는 양손 가득 약병과 약상자를 가지고 왔다.

"엄마!

---

12) Marina N. Nikiforova, et al., BRAF Mutations in Thyroid Tumors Are Restricted to Papillary Carcinomas and Anaplastic or Poorly Differentiated Carcinomas Arising from Papillary Carcinomas, J clin Endocrinol Metab 88:5399-5404, 2003

약이 이렇게 많은데 나 9천5백 원밖에 안 냈어!
대박이지?"

하니까 어머니의 눈이 동그래졌다.

"어머, 정말?
진짜, 대박이다!"

엄마는 나를 공부시키기 위해 평생 안 해본 것이 없다. 분식집, 포장마차부터 간병에 청소일까지 하루 24시간을 오로지 돈을 벌기 위해 살았다. 우리 집에서 돈을 아꼈다는 것은 그만큼 엄마가 고생을 덜 해도 된다는 의미였으므로 자랑할만한 일은 맞았을 것이다. 중증 혜택이 없었다면 괜스레 멜랑꼴리할 뻔했던 확진일이 대박인 날로 바뀌어 있었다.

나는 단점 속에서 장점을 찾는 것을 좋아해서, 지난 저서에서 '똥잡의 장점'에 대해 쓴 적이 있다.

『 (전략)
솔직히 의사들은 위에 언급한 일들을 '잡일'이라는 고상한

단어로 칭하지는 않고 '똥잡'이라고 부른다. (인턴똥잡, 1년차똥잡, 논문똥잡 등등...) 얼마나 하기 싫은 일이면 일이 똥까지 됐을까. 정말 하기 싫은 일들임을 인정한다.

그래도 정말 남는 게 하나도 없는 일들이라고 하면 억울하니까 장점을 생각해보았다. 일로써 배우는 점은 없었을지언정, 인생이라는 큰 과정을 놓고는 나름의 처세술을 배우기는 했던 것 같다.

(중략)

쓰고 보니 그다지 변호는 되지 않는 것 같고 조금 똥 같은 글인 것 같다.』

(결론적으로 별다른 장점 없는 걸로...)

앞에 언급된 중증 혜택, 보험 혜택 외에도 암환자의 장점이 또 있다면 의사결정의 기준이 바뀐다는 것이다. 이전에는 모든 일을 최소 투자, 최대 효율로 하던 내가 어떻게 하면 더 행복하고 건강할지에 대해 고민한다. 개인차가 있겠지만, 나의 경우에는 우울감이나 부정적인 사고도 오히려 줄어들었다. 우울하다고 비관하기에는 남은 삶이 너무 아까웠기 때문이다.

암에 걸린 딸이 대박이라며 양손 가득 약을 들고 집에 왔을 때, 엄마는 무슨 생각을 했을까? 내가 엄마가 되고 나니 19만 원의 약값을 다 내더라도 그냥 내 딸이 안 아픈 게 더 좋을 것 같다. 역시 그냥 조용히 방으로 들고 갔어야 했다. 아직도 철이 덜 들었다. 그러니 철들 때까지, 오래오래 건강하게 살 테다.

15. 그래서 미역은 먹으라는 건가요 말라는 건가요

갑상선암 환자의 식단

갑상선암이 진단된 환자들의 반응은 참 다양하다. 보통 젊은 환자의 경우, 예후가 좋은 암이라는 것을 알고 있어서 비교적 담담하게 진료실을 나간다. 하지만 그 뒷모습이 많은 걱정과 두려움을 끌어안고 나가는 것임을, 내가 갑상선 암을 진단을 받고 나서야 알게 되었다. 물론, 펑펑 우시는 분도 있었다. 그럴 때면 내심, 겨우 갑상선 암인데 왜 저렇게나 슬퍼하실까, 하고 교만한 생각을 하기도 했었다. 하지만 어찌 되었든 암이란, 그것으로 인해 가까운 시일에 사망할 가능성이 있다는 뜻이다. 진단 후 5년 동안 사망하지 않으면 생존했다는 훈장도 달아준다. 이러나저러나 기분은 께름칙하다.

환자들에게 가장 많이 들었던 질문은,

"저 미역 먹으면 안 되나요?"

이다.
정답을 먼저 말하자면, 나는

"먹고 싶을 때에는 일주일에 한두 번씩 드실 수는 있지만, 일부러 찾아드시지는 마세요."

라고 대답했다. 오늘은 그 근거에 대해 써보고자 한다.

일단 이런 질문이 나온 배경에는, 요오드가 갑상선 호르몬의 재료 중 하나이기 때문이다. 요오드는 김, 미역, 다시마와 같은 해조류와 소금, 우유, 계란 등에 많이 포함되어 있고, 약제나 조영제에도 포함되어 있다. 없으면 결핍이, 많으면 과잉이 일어나므로 1일 권장 섭취량이 정해져 있다. (성인 기준 150ug) 문제는 성인의 요오드 섭취량은 지역에 따른 차이가 너무 커서(10ug이하부터 수십mg까지) 일괄적으로 많이 드세요, 드시지 마세요 하기는 어렵다는 것이다.

그래서 뭐든지 우리나라 기준이 중요해진다. 한국 성인의 1일 평균 요오드 섭취량은 479ug로, 권장 섭취량을 훌쩍 뛰어넘는다. 즉, 남들 먹는 대로 먹으면 과하다는 뜻이다. 요오드의 결핍이나 과잉은 갑상선 기능 이상, 갑상선종 등을 일으키므로, 우리나라 기준으로는 남들보다 적게 먹는 것이 좋지만 그렇다고 일절 먹지 않을 필요는 없다.

암 환자가 궁금한 것은 요오드 섭취가 재발과 상관있을까 하는 점이다. 결론부터 말하자면, 아직 불명확하여 추가 연구가 필요하다. 요오드 섭취가 부족한 지역에서 20년 이상 자란 사람은 갑상선암(특히 여포암과 역형성암) 발생률이 높다는 보고가 있다. 반대로 요오드 섭취가 풍부한 지역에서는 유두암의 빈도가 높다. 유두암이 여포암과 역형성암에 비해 예후가 더 좋은 암종임은 맞지만, 이것이 요오드 섭취량에 기인한 것인지는 인과관계가 명확하지 않다.

미역을 먹어도 되냐는 질문을 대수롭지 않게 여겼던 내가 온갖 교과서와 논문들을 뒤지며 답을 찾아가고 있다. 어쩌면 이 병은 나에게 축복일지도 모른다.

16. 빼앗긴 시간들

갑상선암 환자의 운동

나도 암 진단을 받고 나서야 운동을 시작했으니, 내가 운동에 대해 언급할 자격이 있는지 잘 모르겠다. 그냥 이렇게 하는 사람도 있구나, 정도로만 봐주시면 좋겠다.

운동이 질병예방 및 호전에 도움이 된다는 무수히 많은 연구들이 있다. 연구는 보통 해부학적인 측면과 내분비적인 측면으로 나뉜다. 해부학적인 측면에서, 운동은 근육량 증가를 일으키고 이로 인해 심뇌혈관질환 등 많은 질환들을 예방한다. 내분비적인 측면에서, 운동은 다양한 호르몬 상호작용을 일으키고 특히 인슐린 저항성에 관여하여 만성질환을 포함한 많은 대사질환들을 예방한다. 이게 내가 10년 넘게 배운 내용들인데 그동안 운동을 전혀 하지 않았으니 정말 배우기만 했다.

유년기에는 무용이나 농구, 수영 같은 운동을 했었는데, 그 덕에 키가 많이 컸다. 중학교 때 공부를 시작하면서 공부시간을 늘리는 것만 중요하게 생각하고 그 외의 시간은 전부 줄여갔다. 줄여진 시간에는 운동시간 외에도 식사시간, 수면시간, 좋아하는 TV 프로그램이나 영화를 보는 시간, 좋아하는 음악을 듣는 시간, 친구와 이야기를 하는 시간, 조용히 글을 쓰는 시간 같은 꽤 중요한 것들이 포함되어있었다. 이렇게 중요한 것들이 빠진 20여 년의 시간이 지나자, 이 시간들을 되찾는 것이 꽤나 어색해졌다.

출산 후 체력을 늘리기 위해 개인 PT를 받았는데, 누군가가 지도해주며 운동을 받는 것이 나쁘지는 않았다. 하지만 PT선생님이 약속시간을 잘 지키지 않거나 수업을 취소하는 일이 잦아서 역시 사람과 하는 일은 쉬운 게 없다는 생각을 했다.

그리하여 최근 내가 정착한 운동은 홈트와 걷기이다. 홈트는 꼭 집에서 뿐만 아니라 진료실에서도, 수술을 위해 입원을 했을 때도 가능했기 때문에 참 좋은 운동이다. 나는 주로 Youtube 홈트 채널을 틀어놓고 하루 한 시간씩 따라 했는데, 요즘은 TV나 다른 OTT 플랫폼에도 홈트 영상이 많으니 선호하는 선생님이나 운동 유형을 선택하기 좋다. 유튜브 선생님은 설명도 잘해주고 짜증도 내지 않고 내 여가시간에 딱 맞춰주니 나처럼 내향적인 사람에게 최고다.

걷기는 공기 맑은 곳에 가서 빠르게 걸으며 숨 쉬는 것이 가슴속까지 시원해지는 기분이 들어서 최근에 남양주나 가평, 제주 등을 방문했다. 아이와 함께 방문하여서 육아캠프인지 운동인지 조금 헷갈렸지만, 아무렴 어떠하랴.

수술 후에는 수술별로 손상되는 근육이나 조직이 다르기 때문에, 보통 병원에서 환자가 받은 수술에 맞는 운동방법을 추천해준다. 갑상선 수술의 경우는 목 주변 근육의 이완과 유착방지를 위해 다음페이지에 안내된 목 운동이 좋은 것으로 알려져 있다. 각 동작은 3초씩 천천히 최대로 하며, 하루에 3회 이상, 수술 후 5개월 이상 시행한다.

이상화 시인은 빼앗긴 들에도 봄이 오는가 그리워했다. 공부할게 많아서, 먹고살기 바빠서, 몸이 온전치 않아서 빼앗긴 건강한 시간들을 되찾아 오는 내일이 되기를 바라본다.

1. 목과 어깨를 이완한다.

2. 어깨는 고정한 채로 고개를 숙인다.

3. 고개를 우로 기울인다.

4. 좌로 기울인다.

5. 어깨는 고정한 채로 우측을 본다.

6. 좌측을 본다.

7. 팔을 위아래로 부드럽게 움직인다.

8. 어깨를 앞뒤로 돌린다.

17. 왼손잡이

갑상선암 환자의 약물 복용

갑상선암을 진단받았을 때는 별말이 없으셨던 어머니에게 카톡이 왔다.

'사람들이 갑상선암 수술하면 평생 약 먹어야 한다는데 약 안 먹어도 돼?
걱정이 되어서'

나는 대답했다.

'안 먹는 사람도 있고 먹다 마는 사람도 있고 평생 먹는 사람도 있는데, 한쪽만 떼면 안 먹기도 해.
걱정 마.'

갑상선 환자뿐만 아니라 당뇨환자, 고지혈증 환자 등 많은 환자들이 궁금해하는 것 중 하나가 약을 평생 먹어야 하는지에 관한 것이다. 다들 약을 오래 먹는 것에 대한 거부감이 있는 것이다. 이 거부감은 어디로부터 오는 걸까?

약을 먹는 순간 우리는 무언가 잘못되었다고 느낀다. 정상에서 벗어났기 때문에, 정상으로 돌아가기 위해 약을 먹는다고 생각한다. 평생 약을 먹어야 한다면, 내가 평생 비정상이라는 것 같아 기분이 찜찜하다. 실제로 평생 약을 먹어야 하는 질환이 있는 사람의 경우, 안전상의 이유로 복무나 임용 등에서 배제되는 경우도 있으니, 단순히 기분 탓이라고 할 수도 없는 것이다.

갑상선암 환자가 복약에서 주의해야 할 점을 몇 가지 언급

하고자 한다. 수술 일주일 전에는 지혈을 방해하는 아스피린, 와파린 계열 약물이나 당뇨약은 주치의와 상의하여 복약을 결정해야 한다. 혈관 어딘가가 막혀서 시술을 받은 과거력이 있는(Ex.: 급성심근경색으로 관상동맥 스텐트 삽입술을 받음) 환자의 경우, 득실을 따져서 항응고제를 수술 직전까지 유지할 수도 있으니 환자 차원에서 일괄적으로 끊거나 먹지 말고 반드시 주치의와 내과의가 협진하여 약물 중단 필요성을 점검해야 한다.

수술 후 혈액검사에는 갑상선의 기능을 확인하는 갑상선 기능 검사와 재발을 예측하는 글로불린 검사가 포함되어있다. 갑상선 기능 검사상 갑상선 호르몬 수치가 감소하면 갑상선 호르몬제를 먹게 되는데, 이것은 단순히 보충 목적은 아니고 재발방지의 목적도 있다. 갑상선 전체를 절제한 전절제 환자는 장기 복용하지만, 반절만 절제한 반절제 환자는 추적검사 결과에 따라 감량하거나 중단하기도 한다.

갑상선 호르몬제는 다른 약이나 음식과 상호작용이 많은 약으로 아침 식전에 물과 함께 복용해야 한다. 생각보다 약효가 좋지 않아서 환자에게 물어보았을 때 복용 직후 식사를 하신다는 분들이 많으므로, 복용 전후 30분 동안은 공복을 유지하는 것이 좋다. 특히 유제품은 흡수를 현저하게 떨어트리므로, 카페라테나 요구르트 등은 약과 한시간정도 시간차를 두고 드시는 것이 좋다.

나는 가수 '패닉'을 좋아해서 1,2,3집 CD를 가지고 있다. 4집부터는 특유의 반항기가 약해져서 아쉬웠던 기억이 있다. '이적'이나 '김진표'가 아닌 '패닉'을 좋아했다고 말하는 나의 심정을 팬들은 이해하리라. 그때의 그들만이 가진 '세상 따위 될대로 되라지' 하는 듯한 느낌이 소심한 나에게 큰 대리만족이 되었다. 가장 좋아했던 앨범은 1집인데, 그중에 가장 많이 들었던 곡은 아마도 '왼손잡이'일 것이다. 이런 가사가 있다.

『 너라도 날 보고 한 번쯤

그냥 모른 척해 줄 순 없겠니

모두가 똑같은 손을 들어야 한다고

그런 눈으로 욕하지 마

난 아무것도 망치지 않아

난 왼손잡이야 』

약을 먹는다는 것은 아무래도 안 먹는 사람보다는 덜 건강한 느낌이 든다는 것을 인정한다. 그래도 잘 먹고 별 탈없이 잘 살아있다면 뭐, 손해 볼 것 없지. 늦은 나이에 왼손잡이가 된 것 정도로 생각하려 한다. 아무것도 망치지 않았으니까.

18. 암환자에게 하면 안 되는 말들

갑상선암의 예후

글을 읽다가 즐겁다고 느끼는 순간은, 나 대신에 속 시원하게 누군가를 때려주는 듯한 사이다 구절을 발견했을 때가 아닐까. 오늘은 암환자를 대표해서(?) 암환자에게 하면 안 되는 말, 금기어를 몇 가지 선정했다. 살면서 암환자를 만나게 되는 일이 필연적으로 있을 테니, 많은 사람들이 읽으면 좋겠다. 언급된 말들을 실제 나에게 한 지인분들이 있어서 글로 쓰기를 망설였는데, 앞으로 안 그러시면 되니 너무 죄책감 가지시지는 않았으면 한다.

1. 예언자 인척 금지

예시)

“그러게 내가 검사 좀 미리 받으라고 했잖아.“

“그러게 밥 좀 잘 먹으라고 했잖아.“

“그러게 운동 좀 하라고 했잖아.“

금기어 선정 이유)

그럼 지금 내가 그 말을 안 들어서 암에 걸렸다는 건가? 그 말을 안 들은 나는 암에 걸려도 싼가? 그래, 백번 양보해서 그 말이 맞다한들 시간을 되돌릴 수도 없는 일 아닌가. 이미 암환자는 대부분 진단받은 순간 검사 잘 받고 밥 잘 먹고 운동 잘하고 있다. 환자의 마음만 무겁게 하는 말들일뿐이다.

2. 주인공자리 탈환하기 금지

예시)

"어쩐지 나도 몸이 여기저기가 안 좋아..."

"나도 전에 대장에 종양이 있어서 떼 내었는데, 암인 줄 알고 검사를 받았었는데 그때 내 기분이..."

"우리 엄마도 암으로 죽었는데..."

금기어 선정 이유)

이런 말을 실제로 하는 사람이 있나? 싶을 정도로 눈치 밥 말아드신 분들이 있다. 지금 몸 어디가 안 좋든 암 진단받을 뻔했든 그런 얘기가 환자 귀에 들어올 리가 없다. 상대는 현재 사망 가능성이 있는 암환자다. 개미 콧구멍만 한 질병(죄송합니다...)이나 헤묵은 과거사 가지고 와서 불행 배틀할 생각 하지 않길 바란다.

3. 너 안 죽는으니까 엄살 피지 마 금지

예시)

"그래도 착한 암이라는데..."

"그래도 1기라..."

"그래도 생존율이..."

금기어 선정 이유)

말 나온 김에 갑상선암의 예후에 대해 언급해 보려고 한다. 갑상선암의 생존율은 암세포의 종류에 따라 천차만별이고, 의료기술을 발달에 따라 최근 비약적으로 높아졌다. 미국 국립암연구소(National Cancer Institute)의 보고에 의하면 (2005년) 갑상선암 전체의 5년 생존율은 97.3%, 10년 생존율은 95.2%, 20년 생존율은 93.4%로 높은 편이고, 우리나라는 이보다 더 높다.

하지만 내가 암 환자가 되면 생각이 달라진다. 내가 5년 안에 죽을 확률이 2.7%, 10년 안에 죽을 확률이 4.8%, 20년 안에 죽을 확률이 6.4%가 된다. 확률 1453 : 1인 암도 걸렸는데, 사망률 2.7~6.4% 안에 내가 안 들어가리란 법 있나? 이러다 나 죽으면 그 말 무를 수 없으니 그런 말 말길 바란다.

사실 이런 식으로 쓰다 보면 끝도 없으니 암환자에게 해도 되는 말을 정리하는 게 더 편할 듯하다. 금기어에 해당하는 말을 한 번도 안 한 사람은 주변에 거의 없다. 그런데 정말 금기어를 한 번도 하지 않은 의외의(?) 인물이 있으니, 내 남편이다.

남편은 평소에 눈치가 없고 말을 툭툭 뱉어서 나에게 지적을 많이 받았다. 그런데 남편은 내가 조직검사 결과를 확인하고

"헉."

라고 외마디를 내뱉자 매우 당황했지만 아무 말도 하지 않았다. 시간이 좀 지나서 내가 울자, 애초에 왜 울지 않았는지 이상했다고 한다. 내가 울면서 일을 줄이겠다고 하자, 일을 줄이라고 한다. 내가 억울하고 짜증 난다고 하자, 당연히 억울하

고 짜증 나겠다고 한다. 남편은 많은 말을 하지는 않았는데 내가 하는 모든 말이 구구절절 옳다고, 하고 싶은 대로 하라고 한다.

나도 내 말이 정답이 아닌 것을 안다. 어떻게 내 감정이 다 맞고 내 결정이 다 옳을 수가 있나. 하지만 이때나마, 내가 다 바르다고 말해주는 사람이 있어서, 내 인생도 바르게 나아갈 것만 같았다.

19. 당신의 전화를 받지 않은 이유

갑상선 저하와 갑상선 항진

항상 평균치를 유지한다는 것이 얼마나 힘든 것인 줄 안다. 갑상선 호르몬 수치가 낮으면 저하, 높으면 항진이라고 하며 이를 통칭하여 갑상선 기능 이상이라고 부른다. 나는 환자들에게 설명할 때 갑상선을 보일러에 비유한다. 갑상선 저하는 보일러가 고장 나서 꺼진 것처럼 춥고 피곤하고, 살도 찌고 피부도 푸석푸석 해 질 수 있다. 갑상선 항진은 보일러를 세게 틀어놓은 것처럼 덥고 두근거리고, 살도 빠지고 안구가 돌

출되기도 한다. 저하증에서는 갑상선 호르몬을 보충할 수 있고, 항진증에서는 항갑상선제를 복용하거나 방사성 요오드 치료를 받거나 수술을 하기도 한다.

내가 내분비내과를 전공으로 선택한 이유는 내가 평균치를 참 좋아하는 사람이었기 때문에 그렇다. 보통 병원에서 혈액검사를 조회할 때, 평균치 내에 있는 항목은 검은색, 평균보다 높은 항목은 빨간색, 평균보다 낮은 항목은 파란색으로 표기된다. 나는 모두 검은색인 검사 결과가 참 좋았다. 빨갛고 파란 항목들이 뒤죽박죽일 때면 '이런. 어떻게 이것들을 다 제자리에 돌려놓지.' 하고 뇌가 풀가동되기 시작했다. 대부분의 내과의사가 이런 특성이 있지만, 내분비내과 의사가 가장 심하지 않을까 추측한다. 온통 빨갛고 파랗던 검사 결과가 검은색으로 변했을 때의 기쁨은 다른 것으로 대체할 수 없었다. 물론, 가장 좋은 의사는 높아야 될 때 높아진 수치와 낮아야 할 때 낮아진 수치를 이해하고 지켜볼 줄도 아는 의사다.

이 외에도 내가 좋아하는 것들을 의미 없이 나열해 보려고 한다.

출근 후 아침에 마시는 뜨거운 라테,
오전 업무를 다 쳐내고 난 직후의 안도감,
진료실 밖으로 비가 내리는 소리,
토요일 퇴근 직전의 벽시계,
퇴근길 라디오에서 나오는 평소 좋아하던 음악,
퇴근 후 깡충깡충 뛰는 딸아이의 모습,
잠든 아기와 남편의 모습.
떠올리기만 해도 세로토닌이 분비되는 기분이다.

업무상 한 번씩 대화할 일이 있는 지인이 있는데, 대화를 하고 나면 항상 기분이 좋지 않았다. 그럴 때면 왜 이렇게 기분이 안 좋지, 대화했던 사실을 잊어버리자, 아니야 다음번에는 이렇게 대화를 해야겠다 등등 생각이 꼬리에 꼬리를 물었다. 그런데 오늘 문득 내가 그 사람을 싫어한다는 것을 깨닫게 되었다. 한 번씩 마주칠 일이 있는 사람이니까 싫어하지 말아야지, 사람을 싫어한다는 것은 부정적이고 귀찮은 감정이니까 드러내지 말아야지 하고 꽁꽁 싸매 놓았던 봉인이 풀린 것이다. '아, 내가 그 사람을 싫어하는구나.' 하고 인정만 했을 뿐인데 마음이 시원해졌다. 남을 싫어한다는 것을 온몸으로 팍팍 표현하고 사는 사람들도 있지만, 내가 누군가를 싫어한다는 것을 인정조차 하기 싫어서 마음을 뭉개고 있는 사람들도 많을 것이다. 그런데, 이건 좀 아닌 것 같다. 아무리 다른 사람 불편하게 하는 게 싫다지만, 그렇다고 본인 마음을 이렇게 무시해도 될 일인가. 안되지, 안될 일이다.

우리 언니는 어릴 때부터 싫어하는 게 많아서 '너는 그렇게 불만이 많아서 어떻게 사니' 하는 이야기를 귀에 못이 박히게 들었다고 한다. 그런데 변호사가 되고 나니 이 미묘한 불편함을 객관화, 문서화하는 능력이 빛을 발했다. 언니 말에 의하면 주변에 자기보다 더 한(?) 변호사도 많다고 한다. 생각해보니 언니가 싫어하는 게 많고 내가 싫어하는 게 적은 게 아니었다. 언니는 싫은 것을 싫다고 느끼고 표현할 능력이 있는 사람이었고, 나는 싫은 것을 싫다고 느끼지 못하고 표현할 줄 모르는 사람이었던 것이다.

퇴근 후 남편에게

"여보. 나 그 사람 싫어하나 봐."

라고 했더니 남편은

"어. 몰랐어?
난 알고 있었는데."

라고 대답한다.
모두가 다 아는 내 감정을 나만 몰랐던 것이다.

내가 좋아하는 것을 더 좇을 권리, 내가 싫어하는 것을 피할 권리가 우리 모두에게 있다. 그러기에 나는 오늘도 모니터의 검은색 글씨들을 보며 미소 짓고, 070으로 걸려온 스팸전화는 받지 않을 것이다.

20. 그냥 쇼를 즐기는 거야

그래도 삶은 계속된다

"선생님이 제 심정을 아세요?"

"그럼요, 저도 갑상선암으로 수술받았어요."

셔츠를 목 밑으로 쓰윽 내리자 아직 붉은기가 가라앉지 않은 수술 자국이 보인다. 환자의 눈이 동그래지며 불평을 멈췄다. 이렇게 나는 질병을 진료에 활용하기도 하며 평소와 다름 없는 삶을 살고 있다.

나는 영화도 좋아하고, 야구도 좋아한다. 그러니 2011년에 개봉한 '머니볼'은 좋아하지 않을 수 없는 영화였다. 이 영화는 브래드 피트 주연의 미국 메이저리그에 관한 영화이다. 만년 꼴찌 팀을 저예산으로 우승시키기 위해 단장인 브래드 피트가 분석적으로 선수들을 영입하여 팀을 꾸린다. 아이러니하게도 브래드 피트가 직관한 경기는 패배하는 징크스가 있었기 때문에, 늘 제대로 경기를 보지 못하고 도망치게 된다. 영화 중간에 브래드 피트의 딸이 기타를 치며 Lenka의 'The show'를 불러주는 장면이 나오는데, 영화의 말미에 이 노래가 다시 나오며 영화는 끝이 난다. 노래 가사를 개인적으로 느낀 대로 의역해 보았다.

『난 길을 잃은 것 같아
인생은 미로 같고 사랑은 수수께끼
떠나려 했지만 혼자는 무서워
이유도 모르겠고

난 그냥 길 잃은 여자애거든

무섭지만 티 내지 않을 거야
이해도 안 되고
이런 생각이 날 우울하게 만드는 걸 알아
이제 걱정 그만해야 해
그냥 쇼를 즐길 거야

그래, 힘들어
내가 아닌 무언가 되려 한다는 건 말이야
나는 항상 사랑이 충분하지 않거든

시간을 돌리고 싶어
시간을 돌릴 수 있을까
아니, 그냥, 쇼를 즐길거야』

잘 만든 노래, 잘 만든 영화라고 생각한다. 삶에서 무엇이 바른 길인지도 모르겠고, 무섭고 우울할 때도 있지만 뾰족한 이유도 모르겠다. 하지만 어차피 시간을 돌릴 수 없고, 돌릴 이유도 없다. 그냥, 지금을 사는 것 그것만이 유일하고 명확한 명제일 것이다.

우리 딸은 아직 어려서 내가 수술을 받고 나서 갑자기 목을 껴안지 못하게 하는 것을 이해할 수 없었다. 수술 후 일주일도 채 지나지 않았는데 엉엉 울며 계속해서 목을 만지려고 해서, 나도 울고 남편도 거의 울다시피 한 날이 있다. 잘 살아가다가 한 번씩 그렇게 무너지는 날이 있다. 앞으로도 그런 날들은 예고 없이 찾아올 것이다.

그래도 그냥. 쇼를 즐길 것이다.

에필로그

이 책은 2022년도 브런치에 연재한 '그래도 사랑해 갑상선'이라는 브런치북을 토대로 작성되었습니다. 종이책으로 먼저 발간하지 않고 브런치북으로 발간한 이유는 더 많은 갑상선암 환자에게 읽혔으면 하는 의도에서였습니다. 금번 종이책 집필을 결심하게 된 이유는 환자 곁에서 수시로 읽혔으면 하는 마음에서 시작되었지만, 브런치북 또한 여전히 컴퓨터나 휴대폰에서 읽으실 수 있도록 유지하겠습니다. 애초에 수익 목적의 책이 아니었기에, 종이책의 수익금은 전액 소아 갑상선암 환우에게 기부됩니다.

집필 과정에서 최신 논문에 의거하여 많은 부분이 수정되었고, 도표나 사진도 독자분들이 이해하기 좋게 추가하였으나, 미흡한 부분은 문의 주시면 추가 인쇄 시 꾸준히 개정하겠습니다. 가장 많이 참조한 도서는 고려의학에서 2014년 출판된 '임상 갑상선학 제4판'이기에 저자이신 조보연 교수님께 감사드립니다.

책을 쓰며 진단과정, 치료과정을 다시 떠올리는 것이 쉽지 않은 과정이었음을 고백합니다. 봄의 태양을 사랑한 사과가 가을이 되면 해처럼 붉은 열매를 맺듯이, 환자의 삶을 경험한 제가 환자를 닮은 의사가 되었기를 바랍니다. 투병기간 제가 내심 가장 의지했던 제 자신에게 고맙다고 말하고 싶습니다.

삶이 즐거운 이유는 인생이 가지는 의외성 때문일 것입니다. 어린 딸이 의외로 성숙한 말을 할 때, 치료가 어려운 환자가 의외로 빨리 회복될 때 사는게 재밌고 신이 납니다.

우리가 갑상선 암 환자라는 사실은 변하지 않을 것입니다. 평생 꼬리표처럼 따라다니며 보험 가입도 안 시켜주고, 취직이나 승진에서도 불리할지도 모릅니다. 하지만 우리는 의외로 강하고, 의외로 사려깊고, 의외로 자신을 희화화할 줄도 아는 재밌는 사람들입니다. 이 의외성들이 당신의 삶에 예기치 못한 기쁨이길 바랍니다.

완치판정을 기다리며